D1639198

Daniel Pennac

Ancien malade des hôpitaux de Paris

Monologue gesticulatoire

Gallimard

Daniel Pennac (de son vrai nom Daniel Pennachioni) est né en 1944 à Casablanca, au Maroc. Les lieux d'affectation de son père, militaire, l'amènent, enfant, à séjourner en Allemagne, en Somalie, en Éthiopie, en Indochine. Pensionnaire en France de la cinquième à la terminale, il s'ennuie à mourir et découvre très tôt les plaisirs de la lecture. Sa pratique de lecteur est compatible avec la réputation de cancre qui lui colle à la peau tout au long de sa scolarité. Lire en douce et sans arrêt est une façon de s'ennoblir en désobéissant, de s'ouvrir au monde alors même que votre «indignité scolaire» vous promet les affres de la solitude et de la honte.

En 1969, maîtrise de lettres en poche, Pennac entame vingt-cinq années d'un enseignement enthousiaste consacré aux élèves en difficulté scolaire.

En 1973 paraît *Le service militaire au service de qui ?* (Le Seuil). Pennac y explore les trois mythes véhiculés par le service militaire : l'égalité, la maturité et la virilité sous les drapeaux. Suivent deux romans politico-burlesques écrits en collaboration avec le dissident roumain Tudor Eliad : *Les enfants de Yalta* (Lattès, 1976) et *Père Noël* (Grasset, 1978). Puis vient un séjour de deux années au Brésil d'où l'écrivain tire la matière d'un roman qu'il n'écrira que vingt-trois ans plus tard, *Le dictateur et le hamac* (Gallimard, 2003).

Entre 1985 et 1999, Daniel Pennac crée la célèbre saga de la famille Malaussène, qui paraît aux Éditions Gallimard : *Au bonheur des ogres* (Série Noire, 1985), *La fée carabine* (Série Noire,

1987), *La petite marchande de prose* (prix Inter 1990), *Monsieur Malaussène* (1995), *Des chrétiens et des Maures* (1996), *Aux fruits de la passion* (1999). Tous puissamment contemporains, ces romans sont aussi graves qu'est jubilatoire leur traitement narratif, raison pour laquelle ils passionnent un lectorat d'une grande diversité, tant culturelle, sociologique que générationnelle.

Mais c'est avec *Comme un roman* (Gallimard, 1992) que Pennac atteint à la notoriété internationale. Dans cet essai corrosif et joyeux, il pointe le dégoût qu'engendre chez nombre d'élèves l'enseignement « médico-légal » de la littérature. Il réveille le désir de lire, proclame les « Droits imprescriptibles du lecteur » et réhabilite la lecture à voix haute.

En 1997 paraît *Messieurs les enfants* (Gallimard), fable familiale où une bande d'enfants se trouvent métamorphosés en adultes pendant que leurs parents retournent à l'état d'enfance. Le roman est porté à l'écran par Pierre Boutron.

En 2004 et 2007, les Éditions Hoëbeke publient deux albums de photos, *Les grandes vacances* et *La vie de famille*, résultats de la complicité entre Daniel Pennac et le photographe Robert Doisneau. En 2006, le même éditeur, Hoëbeke, publiera *Nemo par Pennac*, rencontre de l'auteur avec le subtil et mystérieux graffeur des murs parisiens, puis, en 2007, un recueil de dessins de Pennac lui-même, intitulé *Écrire*. L'auteur y croque les différents états d'âme que traverse l'écrivain au travail.

En 2005, Jean-Michel Ribes, au Théâtre du Rond-Point, convainc Daniel Pennac de jouer lui-même son monologue *Merci* (Gallimard, 2004), hilarant soliloque d'un créateur « honoré d'être honoré » pour « l'ensemble de son œuvre ». Le spectacle tournera deux ans. Les deux années suivantes, Pennac met en pratique sa réhabilitation de la lecture à voix haute en lisant au théâtre *Bartleby le scribe*, insolite et poignant chef-d'œuvre d'Herman Melville (Gallimard, Folio Bilingue, 2003, traduction de Pierre Leyris).

Dans *Chagrin d'école* (Gallimard, prix Renaudot 2007), Pennac étudie les ravages que la peur provoque, tant chez les élèves en difficulté que chez leurs parents ou leurs professeurs, et suggère les moyens de remédier à cette cause majeure de l'échec scolaire.

En 2012 paraît *Journal d'un corps* (Gallimard) où Pennac suit l'évolution du corps de son narrateur de treize à quatre-vingt-sept ans. L'adaptation de ce livre donnera une longue tournée de lecture théâtrale, mise en scène par Clara Bauer. Au début de la même année 2012, Lilo Baur avait mis en scène *Le 6ᵉ continent* (Gallimard, 2012), fable écologique écrite à partir d'une improvisation collective des acteurs de la troupe.

En marge du roman, Pennac pratique aussi la bande dessinée. *La débauche*, avec Jacques Tardi (Gallimard Futuropolis, 2000), dénonce la vague de licenciements abusifs qui déferle sur nos entreprises dès les débuts de la mondialisation. Suivront, aux Éditions Dargaud, deux exemplaires de Lucky Luke, *Lucky Luke contre Pinkerton* (2010) et *Cavalier seul* (2012), écrits en collaboration avec le romancier Tonino Benacquista et dessinés par Achdé.

Parallèlement à son œuvre pour les adultes, Pennac n'aura cessé d'écrire pour la jeunesse. *Cabot-Caboche* et *L'œil du loup* (Nathan, 1982, 1984), la série des *Kamo* (Gallimard Jeunesse, 1997-2007) et plus récemment *Le roman d'Ernest et Célestine* (Casterman, 2012), porté à l'écran par Benjamin Renner sur un scénario de l'auteur. Daniel Pennac a écrit ce scénario et ce roman en hommage à son amie Monique Martin, alias Gabrielle Vincent (1928-2000), auteure des albums *Ernest et Célestine*, publiés aux Éditions Casterman.

Le 28 mars 2013, la plus ancienne université d'Europe, l'université de Bologne, décerne à Daniel Pennac le titre de docteur honoris causa ès pédagogie. Il prononce en italien sa leçon doctorale d'intronisation, intitulée *Una lezione d'ignoranza* (*Une leçon d'ignorance*).

À Judith
et Fabrice Parker

La médecine est la première des maladies héréditaires.

Professeur Gérard Galvan

1

– Il y a vingt ans de ça aujourd'hui, monsieur. Une sorte d'anniversaire. Besoin de le raconter à quelqu'un… Vous avez une minute ? Vous êtes écrivain à ce qu'on m'a dit. Ça devrait vous inté-resser… Non ? Si ? Après tout, on s'en fout ; vous ou un autre… Café ?

– …

– Vingt ans de ça, donc, jour pour jour. J'étais de garde aux urgences du CHU Postel-Coupe-rin. C'était un dimanche et la nuit allait son train d'enfer : accidents domestiques, infections éruptives, suicides avortés, avortements ratés, cuites comateuses, infarctus, épilepsies, embo-lies pulmonaires, coliques néphrétiques, enfants bouillants comme des assiettes, automobilistes en compote, dealers poinçonnés, clodos cherchant logis, femmes battues et maris repentants, adoles-cents envapés, adolescentes catatoniques… Les urgences d'un dimanche soir, quoi, et par nuit de pleine lune, qui plus est. Tout ce beau monde refusait le lundi matin avec les moyens du bord, et moi, comme d'habitude, je piquais, j'obturais, je ponctionnais, je reboutais, je cousais, j'agrafais, je sondais, je méchais, je drainais, je pansais, j'accouchais, il m'arrivait même de prévenir et de dépister! En un mot, je dispensais. J'étais à moi seul un dispensaire. Je remplaçais Pansard, Verdier, Samuel, Desonge : «On te revaudra ça, Galvan…» «Laissez tomber, les gars, c'est de bon cœur.» (Tous mandarins, aujourd'hui.) Les plus naïfs voyaient en moi un FFI idéaliste, à sept billets par mois et quatre-vingts heures la semaine, au détriment de ma santé, de ma jeunesse, de ma carrière, de ma vie privée. Ah, pardon, définition : FFI, *Faisant Fonction d'Interne*. Ma famille, tous toubibs depuis Molière – la médecine est la première des maladies héréditaires –, me trouvait exemplaire. Mon père m'imaginait en archange terrassant le cancer de la lymphe : «L'hématologie, Gérard, c'est ta voie!» Je laissais aller l'imagination du père et j'allais de mon côté; je savais bien que je ne serais jamais l'homme d'une seule spécialité. Ma spécialité à moi, ce serait l'urgence : tous les maux de l'homme, les maux de tous les hommes, autant dire toutes les spécialités. Le champion de la Médecine Interne, voilà ce que je voulais devenir. Vous me direz que c'était une ambition plus qu'honorable… Non? Si? Hein?

– …

– Eh bien, vous vous trompez, monsieur. En

fait, je ne rêvais qu'à une chose… J'ose à peine vous dire laquelle, tellement c'est… à n'y pas croire ! *Je rêvais à ma future carte de visite* ! Sans blague, monsieur. Une véritable obsession. Je ne pensais qu'au jour où je pourrais dégainer une carte de visite à faire pâlir tous les amateurs de cartes. C'était ça, au fond, mon grand projet !

Françoise épousait mon ambition et j'allais épouser Françoise. Elle aussi était fille de toubib. À nous deux on comptait en fabriquer quatre ou cinq de mieux. En attendant, Françoise travaillait le design de ma carte. Elle ourlait des anglaises délicates, façon *nrf* : « Il te faut une carte de visite toute simple, Gérard, tu vas monter trop haut pour faire dans le clinquant ! » Elle était pour un bristol discret, infiniment respectable, venu de ces temps où le temps ne passait pas : « Voilà ce qu'il te faut, Gérard ! » C'est peu dire que je rêvais de cette carte. Dans mon imagination, elle se déployait comme un étendard dont l'ombre effaçait mes collègues et couvrait tout le champ médical.

PROFESSEUR GÉRARD GALVAN

Médecine Interne

Un jeune con, en somme. Je n'avais pas encore creusé mes fondations que je me prenais déjà pour ma statue.

2

Donc, ce fameux dimanche de pleine lune, j'étais de garde au CHU Postel-Couperin à traiter chaque malade comme un échelon. Un coup de pompe ? Ma carte de visite était là pour me donner un coup de fouet. Je m'entraînais en douce à la sortir, sans rire ! Rien dans les mains, rien dans les poches, et hop ! L'honorable bristol entre le médius et l'index : *Professeur Galvan.*

– Allongez-vous, madame. Voilààà.

Et rien d'autre que *médecine interne.*

– Non, mademoiselle, vous avez eu raison de l'amener, c'est sérieux, un panaris ! C'est votre petit frère ? Comment tu t'appelles, bonhomme ?

Une majuscule à *Médecine,* peut-être, et une autre à *Interne.* Voir…

Pendant que je me penche sur un impétigo, Éliane se pointe avec l'habituel motard du périphérique. Il a son oreille dans sa poche et son bras dans son sac à dos.

– Chirurgie, Éliane, tout de suite !

Et rien qu'un numéro de téléphone. Sur la carte. Pas d'adresse. Juste le téléphone.

– Prenez bien vos antibiotiques, monsieur Machin. N'arrêtez pas avant la fin, surtout. Éliane, à qui le tour, ma grande?

– Une crise d'asthme ici, mais ce monsieur là-bas attend depuis longtemps.

Ou le mail, peut-être, oui, c'est mieux, juste le mail. Galvan.medint@hosto.fr.

Voilà, j'avais pris les urgences à neuf heures ce dimanche matin, Fatima avait remplacé Gisèle, Éliane avait pris le relais de Fatima, et, en me dirigeant vers le «monsieur là-bas», je me demandais si un carton Lacermois ne serait tout de même pas plus présentable, pour la pulpe du doigt, qu'un Adventis 12.

Un merdaillon, je vous dis, voilà ce que j'étais.

– Qu'est-ce qui vous amène, monsieur?

Le monsieur n'avait ni âge ni ambition. Je l'avais repéré du coin de l'œil, depuis un bon moment. Sans défense. Il avait laissé tous les autres urgents le doubler. Ce qui l'amenait? Il ne se sentait pas très bien.

– Je ne me sens pas très bien.

Le teint était pâle, la voix neutre, le ton las, le profil bas. Il ne se sentait pas très bien. Sans aller trop mal. Le genre qui horripilait Éliane. Elle savait trop qu'on le reverrait. «Bon Dieu, Galvan, c'est un service d'urgence, ici, on n'est pas SOS Machin!» En me penchant sur le monsieur, j'ai glissé : «Éliane, son urgence c'est ta douceur, il a un besoin de maman.»

– Vous ne vous sentez pas très bien… Voyons un peu ça… Retroussez votre manche, s'il vous plaît…

Il retrousse. Pendant que son pouls bat d'un rythme pépère sous la pulpe de mes doigts, l'asthmatique, sur le banc d'en face, vire à l'indigo.

– Excusez-moi…

La plupart des asthmatiques, eux, ont une mère, ça vient même de là. L'asthme est une vraie maman.

(À propos de pulpe, veiller au relief de l'impression ! Je dis bien *l'impression*. Une carte gravée. Pas lisse. Ni un de ces cartons emboutis qui veulent donner le change. Non. Gravure ! Gravure ! Quand j'en ai parlé à Françoise elle a levé les yeux au ciel tellement ça allait de soi.)

Après l'asthmatique, on a eu droit à un delirium pittoresque, avec chapelet de vérités tonitruantes, pas si connes, d'ailleurs. Ont suivi toutes les urgences prioritaires que peut vous envoyer une nuit de pleine lune quand on s'imagine avoir déjà traité les urgences absolues. Et puis, vers deux heures du matin, la source s'est tarie. Le couloir était presque vide. Ça sentait bon la pause-café.

C'est le moment que le «monsieur là-bas» a choisi pour s'effondrer.

3

Il est tombé sans défense, la tête la première.
Une gifle sur le carrelage. Le cuir chevelu n'a
pas résisté. À l'auréole immobile que lui faisait
son sang, je l'ai cru mort. Rien ne bougeait
quand je suis arrivé à lui. La flaque ne s'élar-
gissait pas. Il gisait dedans, crispé autour de
son abdomen, comme une araignée de maison
secondaire.

– Merde.

Aujourd'hui encore, c'est le premier souvenir
que j'en ai : la certitude de sa mort.

– Et merde…

Brillant début pour le champion de la *Médecine Interne*! Un homme qui poireautait depuis
des heures dans mon couloir venait de tomber
raide mort sous les yeux d'Éliane, de Mme Bois-
sard, l'aide-soignante, et d'une patiente qui
cesserait d'être anonyme dès qu'il s'agirait de
témoigner contre le médecin de garde : «Tran-
quillement occupé à se faire un café, alors que

le monsieur disait qu'il ne se sentait pas très bien
– si, si, je l'ai entendu! –, même qu'il allait décé-
der!»

Non, le cœur battait encore. Et le sang coulait. On l'a transporté jusqu'à la table d'examen
sans arriver à le déplier. L'œil hagard, le corps
verrouillé sur une douleur qui n'annonçait rien
de bon.

– Détendez-vous! hurlait Éliane en suturant la
plaie du front, pendant que je palpais du béton.

Il ne se détendait pas. Ventre météorisé à en
éclater, fermeture complète.

– Depuis combien de temps n'êtes-vous pas
allé à la selle?

– Je ne me sens pas très bien.

Le dernier degré de la fermentation, un
homme sur le point d'exploser.

– Quand avez-vous pété pour la dernière fois?

Arrêt des matières et des gaz… Cent contre
un qu'il nous faisait une occlusion intestinale
suraiguë! Palpitation des narines, réduites à du
papier d'Arménie.

– Éliane, appelle Angelin! Dis-lui que j'arrive
avec l'urgence des urgences!

On s'est précipités, moi et mon obstrué, sur le
lino de la panique.

J'avais fait graisser les roues de nos chariots,
pour qu'ils ne filent pas en crabe comme des
caddies d'aéroport. En passant devant la dame
du couloir, j'ai crié, par-dessus mon épaule :

– Après, tu t'occuperas de Madame !

Va pas mourir, toi, surtout, te déboyaute pas en cours de route, Angelin va te sortir de là, c'est un cador de la Viscérale, il a tendance à se prendre pour sa carte de visite

PROFESSEUR LOUIS-FRÉDÉRIC ANGELIN
DFMP, AIHP, CCA

CHIRURGIE VISCÉRALE

(Juste en face de l'Élysée)

mais c'est le roi du mou, je te le jure ! Accroche-toi, je cours pour toi, je connais bien Angelin, même s'il pionçait comme un sonneur quand Éliane l'a appelé, tu peux être sûr qu'il nous attend à la porte de l'ascenseur, le doigt pointé vers le bloc opératoire.

Tout juste. Angelin nous attendait avec son chapelet de questions, qu'il a déroulé en courant vers le bloc, à côté de la civière.

– Il y a une défense ?
– Du béton.
– Transit ?
– Aucun.
– Depuis ?
– Allez savoir…

– Il picole ?

– Pas l'impression.

– Il a mangé ?

– Sais pas.

– Vomi ?

– Pas chez nous.

– Fièvre ?

– Non plus.

C'est évidemment le moment que notre verrouillé a choisi pour restituer par le haut une bonne semaine de menus divers pendant que sa température grimpait au rouge vif comme s'il était à lui-même son propre thermomètre.

– Vous avez vu sa langue, Galvan ? Bravo pour le diagnostic !

Une langue blanche et de bois, pointée comme un doigt qui accuse.

– Allez réveiller Placentier, on opère.

Le téléphone d'Éliane ayant anticipé, Placentier, l'anesthésiste, courait vers moi pendant que je courais vers lui. On cavalait tous les deux vers le bloc, lui en ficelant son froc, moi en me demandant ce qu'Angelin avait voulu dire à propos de mon diagnostic. C'était de l'Angelin tout craché, ce genre de flou. « Bravo pour le diagnostic, Galvan ! » Impossible de savoir s'il vous chambrait ou s'il vous félicitait. On perdait plus de temps à analyser le ton de sa voix que les graphiques des malades.

Après tout, je m'en fous, me dis-je en transbahutant notre patient sur la table et en le déshabillant. Pourvu qu'il le sorte de là…

– Son bilan, vite, j'opère! Électro! Groupe sanguin!

Angelin parlait déjà derrière un masque. Placentier collait les pastilles sur un torse de poulet.

– Galvan, vous ferez office d'infirmière.

L'infirmière Galvan n'avait pas attendu cette promotion pour déplier le bras du malade, passer le coton d'alcool dans la saignée du coude et rabattre un drap sur son corps en fusion.

– Magnez-vous, j'ouvre tout de suite.

Et, comme si je ne connaissais pas la musique :

– Laparotomie, a lâché Angelin sur le ton du professeur que je rêvais de devenir… (Ah! l'amphi devant moi comme deux bras ouverts, et ces gradins à petites têtes!) Laparotomie *exploratrice*, a précisé Angelin, son regard par-dessus son masque.

Débouche-le, c'est tout ce qu'on te demande, marmonnai-je en garrottant un biceps fondu. Il avait de toutes petites veines, mon patient… d'un bleu extraordinairement ténu…

Les yeux de Placentier couraient sur les cimes de l'électro.

– Bon, ça va, le cœur est en état de marche, plutôt relax, même.

– Je pique, dis-je.

– Ne vous inquiétez pas, dit Angelin au

27

malade, nous allons vous endormir. Virez-moi ce drap, Galvan.

Ce que j'allais faire, quand le drap s'est gonflé. Sans ostentation d'abord, brise marine, régulière douceur des alizés, ronde voile au cœur du Pacifique, le drap se gonflait…

– Qu'est-ce que c'est que ça?

Pour toute réponse, une déflagration a jeté Angelin deux pas en arrière. Le drap a pris des proportions de montgolfière, puis le clairon s'est fait entendre. « Ça », mon cher Angelin, c'est un pet! Notre homme pétait! Voilà ce qui se passait. Il lâchait enfin son air, nom de Dieu! D'un coup d'un seul. Le pet de la libération! Le clairon de la décharge! Un mois d'ouragan expulsé! Débouché! Sauvé! Le clairon a cédé la place à la trompette de la victoire, qui s'est faite hautbois, le hautbois s'est affiné en flûte, la flûte s'est aiguisée en fifre, le tout en autant d'aimables circonvolutions que l'autorisent six mètres cinquante d'intestins raccordés à un gros côlon qui se débonde.

Il se peut que j'exagère, que le drap ne se soit pas envolé, mettez l'image sur le compte de mon soulagement, mais comme – dans mon souvenir tout au moins – le drap retombait en planant, je me suis avisé qu'il venait de se passer une chose infiniment plus surprenante que la guérison subite de mon patient, un événement, ou plutôt un non-événement bien plus stupéfiant : *pendant tout ce temps je n'avais pas pensé une seule fois à ma carte de visite* !

J'étais sous le coup de cette surprise, curieux de savoir ce qu'en dirait Françoise, quand la voix de Placentier m'a tiré de ma rêverie.

– Vous vous êtes gourés, les gars.

La voix de Placentier…

– Ce n'est pas une occlusion.

Placentier, l'anesthésiste…

– C'est beaucoup plus embêtant.

Qu'est-ce qu'il dit ?

– Regardez…

4

Angelin et moi on s'est penchés de nouveau sur le patient. Placentier, les deux mains posées en conque sur la vessie du type, hochait la tête :

– Une laparotomie pour un globe vésical, je veux bien, mais à mon avis il vaudrait mieux le vider, et vite fait !

Il n'a pas ajouté « bravo pour le diagnostic », tout était dans le ton de sa voix, à lui aussi. Et dans le regard qu'Angelin m'a lancé par-dessus la table d'opération. Le malade a ouvert un œil et murmuré : « Je ne me sens pas très bien », avant de retomber dans le cirage. Placentier a poussé son avantage :

– Il peut ! Sa vessie trimballe un hectolitre de pisse congelée, comme ceux qui tombent des zincs sur les nains de jardin.

Pour faire bonne mesure, il a ajouté :

– J'ai jamais vu une pareille distension du pelvis. Il est à deux doigts d'éclater.

J'ai posé ma main sur le front du patient. Sueurs froides. Il était glacé.

Angelin est allé au plus pressé :

– Saliège est là ?

Oui, Saliège, notre urologue maison, était là. Placentier venait de le quitter quand nous l'avions tiré de son lit.

– Allez-y. Foncez !

Et de nouveau la course dans le couloir.

– Tu as fait graisser les roues des chariots, Galvan ?

On peut faire une erreur de diagnostic mais être fier qu'un collègue remarque le détail des roues bien graissées. La vie est riche en lots de consolation. Les roues de la civière ne faisaient pas le moindre bruit et les semelles de nos baskets survolaient le lino. Nous foncions vers Saliège. Comme si j'avais des yeux derrière la tête, je voyais l'image d'Angelin rapetisser sur le pas de sa porte. Il s'assurait qu'on se dépêchait. Il ne rentrerait dans sa boutique qu'une fois notre trio disparu. Il faut dire que c'est sérieux, un globe vésical. Ne vous retenez jamais de pisser, monsieur. L'astronome Tycho Brahé en est mort, à un festin de l'empereur Rodolphe II. Vous voyez la scène ? Rodolphe pérore. Un de ces soliloques de monarque pendant lesquels tout le monde se tient à carreau. En l'honneur de Brahé qui plus est ! Il lui a fait remplir un dernier verre, ou un hanap – bien entendu, Brahé ne savait pas que ce serait le dernier –, et en avant pour l'éloge royal. Le pauvre Tycho s'est retenu tant et tant que sa vessie a explosé. Mon père – il était urologue – racontait volontiers cette histoire, les jours de fête surtout, à la fin du repas, quand tout le monde a plus ou moins envie de pisser, ça l'amusait, il mesurait son ascendant sur la famille à la tension de nos vessies. Je n'ai jamais osé l'interrompre. C'est dire si j'étais anxieux pendant que nous cavalions vers Saliège ! Placentier avait raison, la vessie de mon malade pouvait se déchirer d'une seconde à l'autre. Je courais, poussant la civière, mes yeux sur son visage renversé. C'était un mélange d'inconscience et de souffrance extrême. Paupières plombées, cernes de suie, lèvres violettes, comme si la douleur le torturait jusque dans son coma. On peut s'évanouir de douleur et être réveillé par elle, vous savez. Tout en courant, je me suis mis à penser aux résistants. Ils se sont beaucoup trompés sur ce point. Les plus vaillants espéraient pouvoir échapper à la torture par l'évanouissement… Erreur ! Tant que vous n'êtes pas mort la douleur vous rattrape où que vous soyez. J'ai senti mon cœur se serrer comme si mon malade incarnait le martyre de la Résistance ; mais qu'est-ce qui te prend de penser à des trucs pareils en ce moment, Galvan ? Notez, les jours de fête mon père racontait aussi des histoires de résistants réveillés par la douleur, c'était peut-être ça. Une porte s'est ouverte, là-bas, loin devant nous. C'était la porte de Saliège, l'urologue. Angelin avait dû lui passer un coup de fil. Bon, nous arrivons, nous arrivons, on arrive, mon gars, et c'est heureux parce que le terrain devient glissant, je ne sais pas ce que foutent les femmes de ménage du côté de chez Saliège mais elles ont la serpillière approximative, ça serpille et ça laisse sécher tout seul : « Marchez pas sur le mouillé », on connaît la chanson… Allez, ne t'inquiète pas, Saliège ne tient peut-être pas son monde côté ménage mais c'est une flèche dans son domaine, une carte de visite un peu redondante, d'accord,

---

Docteur Paul Saliège

MAJOR DE L'INTERNAT
DES HÔPITAUX DE PARIS

Professeur agrégé

UROLOGIE

REINS, VESSIE, PROSTATE, ACCESSOIRES

---

mais une vraie compétence, il va te sonder sans douleur, direct par la queue ou en piquant juste au-dessus du pubis, n'aie pas peur tu ne sentiras rien, je t'en fous mon billet, des doigts de fée dans une main de colosse… Tiens, pourquoi nous fait-il ces signes, le colosse aux doigts de fée ? Saliège nous faisait de grands signes debout devant sa porte, les bras largement ouverts, une gesticulation d'aéroport, le type en gilet fluo face au gros-porteur qui se met en ligne. En un peu plus affolé, quand même. Qu'est-ce qu'il veut? Qu'on ralentisse? C'est ça? Qu'on s'arrête? D'accord, ralentissons, arrêtons-nous. Mais ni Placentier ni moi n'avons pu nous arrêter... Ce bruit de cavalcade dans cette flaque immense depuis un certain temps... Non, les femmes de ménage n'y étaient pour rien... C'était notre malade! Nous courions à contre-courant d'un torrent qui jaillissait sous lui... Oh! bon Dieu, non!... Il se vidait et nous n'avions rien vu! Placentier a été le premier à se casser la gueule. Il a regardé ses pieds, voulu s'arrêter, dérapé, lâché le chariot, glissé, bras en avant, il y a eu un choc... Moi, j'ai continué. Je ne pouvais pas ralentir. Le lino était devenu glissant comme un fond de mousse... Je maintenais tant bien que mal la civière dans l'axe de la porte qui se rapprochait à la vitesse grand V... Sa vessie n'avait pas tenu... Elle avait explosé pendant que je gambergeais... Et maintenant il mourait... son visage ne laissait aucun doute sur ce point... il mourait... il mourait, bordel! Couleur de glaise déjà, mort en cours de route et je n'y avais vu que du feu! Arrivés trop tard, par ma faute, erreur de diagnostic, un globe vésical que j'avais laissé poireauter des heures dans le couloir des urgences! Oh! excuse-moi, pardonne-moi, mon pauvre vieux, je suis vraiment, vraiment... ce n'était pas mon premier mort pourtant, mais j'étais vraiment, vraiment j'étais… Moi et ma putain de carte de visite!… Un sanglot, des larmes, j'ai voulu les essuyer, j'ai lâché le chariot un quart de seconde… le chariot m'a échappé, j'ai moi aussi glissé en essayant de le rattraper, je me suis redressé d'un coup de reins, mes bras moulinant l'équilibre, total je suis tombé sur le cul, toujours glissant, et j'ai vu avec horreur la civière foncer droit sur Saliège, le carnage, ça va être un carnage, et quand Saliège se sera pris le mort dans le buffet, j'arriverai à mon tour, c'est fou le nombre de choses qu'on peut se dire en si peu de temps… dont celle-ci : j'abandonne la médecine! Après la collision, je rends mon caducée! Voilà! Comme ces flics américains qui déposent leur insigne sur le bureau du shérif.

Mais Saliège a fait un étrange pas de danse, une esquive impensable pour un pareil balèze, le chariot est passé devant lui, sa main a jailli derrière son dos, elle a chopé la barre de tête in extremis, et le mort s'est immobilisé dans un tête-à-queue impeccable, que Saliège a accompagné par un demi-tour de tango. Sa jambe gauche lancée à la perpendiculaire m'a barré la route, le pied solidement campé au chambranle de la porte, ce qui fait que je me suis pris son tibia en travers de la glotte. Stoppé net. Séché comme par une manchette. Mon souffle a reflué dans mes talons et je suis parti dans les vapes, K-O.

5

– Oxygène. Vite !

La voix tombait de très haut dans mes oreilles. Je ne pouvais pas encore l'identifier. C'étaient des mots solides, on pouvait s'y accrocher, ils allaient me remonter à la surface. Seulement, je n'étais pas certain de vouloir remonter.

– Le masque, bon Dieu !

(Allez, d'accord, une goulée d'oxygène pour ce con de Galvan, mais je vous préviens, dès que j'arrive je vous rends mon tablier.)

– Il faut appeler Verhaeren.

(Verhaeren ? Ah ! oui, Verhaeren, mon prof en pneumologie…)

> **PROFESSEUR LOUIS VERHAEREN**
> *Pneumo-phtisiologie*
> *Agrégé des hôpitaux de Paris*
> *Membre de la Société Française de Pneumologie*
> *Membre honoraire de la Société Royale de*
> *Pneumologie de Belgique*
> *Docteur honoris causa de l'université de Rochester*
> *etc.*

– Verhaeren ? Placentier, ici. Vous pouvez venir ?
Chez Saliège. Ça urge…

(Ça urge, Verhaeren, venez, votre étudiant
Galvan vient de tuer un malade. Il a le souffle
court et le cœur dans la tête.)

– Un pneumothorax, je crois.

(Quoi ?)

Ça m'a réveillé d'un coup. Pneumothorax !
Les grands mots, tout de suite. Et le ton. Cette
inquiétude… Mais non, pas de pneumothorax !
Ma plèvre est impeccable et mon poumon nic-
kel ! J'ai pris le tibia de Saliège dans la gueule,
c'est tout. Ça va beaucoup mieux, d'ailleurs. Ne
vous en faites pas pour moi, les gars, je respire.
Ouvre les yeux, Galvan ! N'en profite pas pour te
faire plaindre, putain de toi, ce serait un comble,
merde !

J'ai ouvert les yeux.

Ils ne parlaient pas de moi.

Ils s'activaient au-dessus de la civière.

– Tiens, vous êtes de retour, Galvan ?

La pogne de Saliège m'a remis à la verticale.

– Chapeau, pour le diagnostic !

J'ai gargouillé :

– Un globe vésical ?

– Rien du tout, votre client s'est vidé par les
voies naturelles, en bon buveur de bière. C'est
sur de la gueuse que vous vous êtes rétamé. Non,
c'est autre chose ; il étouffait quand j'ai intercepté
la civière : détresse respiratoire aiguë. Regardez !

Saliège m'a montré Placentier qui ventilait notre malade. Placentier a posé sur moi un œil polychrome à demi fermé.

– Je me suis chopé un coin de mur en me cassant la gueule.

À sa façon de tenir la bouteille d'oxygène sous son coude et de plaquer le masque sur le visage du patient, Placentier m'a fait penser au sulfateur de vignes qui venait traiter le raisin chez ma grand-mère, quand j'étais gosse.

– J'ai d'abord cru à une crise d'asthme, a expliqué Saliège, un coup d'angoisse, ou la trouille sur la civière emballée… Mais il ne sifflait pas et il sonnait creux.

– Et vous avez conclu à un pneumothorax! a claironné une voix nouvelle.

C'était le professeur Verhaeren. Il était à peine plus haut que la civière mais sa voix de baryton sortait d'une poitrine large comme un estuaire.

– Poussez-vous une seconde.

Verhaeren a grimpé sur la troisième marche de l'escabeau métallique pour coller son oreille sur la poitrine du malade que Placentier continuait de sulfater.

Donc, je n'avais tué personne. J'étais de nouveau parmi eux. J'ai discrètement rempoché mon caducée. Je me sentais comme neuf. Une blouse immaculée et le cœur exultant, frais sorti du confessionnal. J'ai tapé sur l'épaule de Saliège et, dans un gloussement, j'ai demandé :

– Comment vous avez fait pour stopper le chariot? C'était quoi, cette esquive?

– Moitié rugby, moitié vachettes.

– Vos gueules!

L'oreille ventousée au torse nu du patient, sa main droite exigeant le silence, Verhaeren s'abîmait en spéléo pulmonaire.

– Vous aviez graissé les roues? a murmuré Saliège. Heureusement que le chariot est resté dans l'axe, sinon…

– Silence, bon Dieu!

Verhaeren agitait les doigts dans notre direction, ses demi-lunes pincées entre le pouce et l'index. C'était vraiment un nain aux proportions de géant. Son oreille velue couvrait toute la poitrine de mon patient, comme une de ces ventouses marines à digestion lente. On aurait juré qu'elle allait l'absorber.

Je m'étais souvent demandé, adolescent, accroupi entre deux rochers où clapotait la Méditerranée, ce que pouvaient ressentir les coquillages vidés d'eux-mêmes par les étoiles de mer. Passer de l'intimité nacrée de votre coquille aux entrailles d'un mollusque… La terreur d'abord… Le temps que met l'autre à trouver le joint pour t'ouvrir. Cette résistance que tu sais vaine… L'astérie qui s'insinue… Une giclée d'anesthésiant, la lente aspiration d'un moi encore lucide par cette bouche innommable… Se sentir glisser dans l'organisme de l'autre… L'oreille de Verhaeren… Les poils de cette oreille sirotant la lymphe de mon patient…

Mais qu'est-ce que tu as, Galvan ? Qu'est-ce que tu as aujourd'hui ? Qu'est-ce que c'est que ces images à la con, cette émotion, ces pertes de contrôle à répétition ? Ça ressemble furieusement à une crise d'empathie ! On dirait un jouvenceau à sa première autopsie… Reprends-toi. Pense à ta carte de visite !

Professeur Galvan.

Là, hurlement d'un rire sauvage, au fond de ma conscience.

Et cette bouffée de honte.

Une honte féroce.

Qui m'a… estomaqué.

– Rien du tout, a proclamé Verhaeren en se redressant, ils sont très bien, ses poumons !

Il se tenait debout, au sommet de son escabeau. Il nous toisait tous, infiniment réprobateur, par-dessus ses demi-lunes. On aurait dit Toulouse-Lautrec.

– Parfaitement ventilés !

Saliège s'est aussitôt défendu :

– Il y a une seconde, il étouffait. Ses lèvres commençaient à se cyanoser.

– Eh bien, il n'étouffe plus. Il respire comme vous et moi.

Verhaeren a fait un geste bref à Placentier, qui a retiré le masque à oxygène comme s'il avait oublié une casserole sur le feu.

– Bon, récapitulons, a proposé Verhaeren en descendant de l'escabeau.

Le malade a ouvert les yeux. Ses mâchoires se sont contractées. Sa bouche a formé une syllabe. Je me suis penché.

– Je ne me sens pas très bien…

– Il ne se sent pas très bien !

– Il respire parfaitement ! a gueulé Verhaeren, comme si j'avais remis une affaire classée sur le tapis. Venez ici, Galvan, qu'on fasse le point.

J'allais lui obéir quand la main du malade a capturé mon poignet. Apparemment, il ne souhaitait pas que je m'éloigne. Et vous voulez que je vous dise, monsieur ? J'en ai éprouvé comme de la gratitude. Un sentiment tout à fait nouveau, pour moi. Je suis là, mon vieux, pas de panique, je ne bouge pas de là. Tu es entre mes mains. Je te sortirai de là. Mot pour mot ce que je lui ai dit.

– Pas de panique, détendez-vous, je suis là, je ne bouge pas.

Il n'a pas desserré son étreinte pour autant. Inouïe, la force, dans ses phalanges. Ses ongles se sont incrustés dans ma peau. Ses mâchoires ont fait un bruit que j'ai tout de suite reconnu. Françoise me faisait ça, quelquefois, la nuit. Elle grinçait des dents. Je me disais que si on ne trouvait pas une solution elle finirait avec des molaires de vache. Mais je n'ai jamais osé lui en parler, bien sûr. À quel point nous ne sommes qu'un corps, tout de même ! La plus belle fille du monde s'endort et la voilà qui broie l'avoine des cauchemars. (Bruxomanie, c'est le terme exact…) Allez lui expliquer ça, à l'état de veille, quand elle grimpe à l'assaut du monde en vous fignolant la plus distinguée des cartes de visite !

La peau de mon poignet s'est perlée de sang, puis la pâleur du malade s'est accentuée, son corps s'est tendu, une mousse a bouillonné aux commissures de ses lèvres…

– Épilepsie ! j'ai crié. Il nous fait une crise d'épilepsie !

On n'a pas été trop de quatre pour le maintenir. Verhaeren n'était pas d'accord avec mon diagnostic. Ce n'était pas de l'épilepsie, non, les yeux du patient n'avaient pas chaviré. Il penchait plutôt pour une hypoglycémie carabinée.

– Après avoir bu une barrique de gueuse ? a objecté Saliège. Ça m'étonnerait !

– Justement ! Hypersécrétion d'insuline…

– Ou une crise de palu ? Un gros choc palustre ? a suggéré Placentier qui avait eu un grand-oncle médecin-major dans la coloniale.

Nous en aurions volontiers débattu, mais le malade nous a échappé comme un poisson vivant. Un bond de carpe. Ses mains jetées en arrière et ses pieds en avant il se tenait là, au-dessus du matelas, tendu comme un arc entre la tête et le pied du brancard, grinçant des dents plus que jamais. Saliège et Verhaeren avaient beau s'acharner sur ses doigts, impossible de lui faire lâcher prise. Moi, j'essayais de lui ouvrir la bouche.

On a beau savoir que les forces décuplent dans ce genre de crise, on en reste chaque fois comme deux ronds de flan. À croire que notre type avait grandi d'un bon demi-mètre et rajeuni d'une trentaine d'années. Toutes les tubulures et tous les ressorts du brancard vibraient. Une panique de gréements sous les assauts de l'ouragan.

– Il faut le piquer, a dit quelqu'un, il faut détendre ça tout de suite ou il va y rester !

– Placentier, prévenez Juraj, a dit quelqu'un d'autre.

Juraj, c'était notre neurologue, un Slovaque qui avait profité de la première brèche du mur pour exporter chez nous sa compétence. Une sommité, aujourd'hui.

Placentier s'est jeté sur le téléphone.

Nous commencions à trembler comme le reste du chariot, puis il y a eu un claquement sec : les quatre points de soudure venaient de céder. Le sommier s'est effondré sur le sol, notre malade et nous avec. Les extrémités du chariot ont valdingué contre les murs.

En parfait rugbyman, Saliège a plongé pour immobiliser les jambes du patient dont Verhaeren a saisi la tête pour qu'il ne la fracasse pas contre le sol. Moi, j'ai chopé ses poignets pour échapper à ses ongles, qu'il a plantés dans ses propres paumes.

– Bordel, Placentier, qu'est-ce que tu fous, tu le piques, oui ?

La main de Placentier est apparue comme par invocation. Elle a planté la seringue dans le mille.

6

Si j'étais devenu chef de service, mon premier embauché aurait été Juraj (prononcez Iouraï), notre neurologue. Rarement vu un type plus maître de lui et plus sûr de sa science – qu'il ne ramenait pourtant pas. Un taciturne. Il avait appris le français dans les manuels de médecine et ne le parlait que pour émettre un diagnostic ou proposer une thérapeutique.

– Opisthotonos, déclara-t-il, après nous avoir écoutés.

Il y eut un silence.

Puis des regards.

– Oh ?

– Merde.

– Sans blague…

– Juraj…

– Allez…

Il ne s'agissait pas d'une opinion mais d'un diagnostic. Juraj n'en démordait pas. Tout ce que nous lui avions raconté le confirmait. Opisthotonos, la phase terminale du tétanos. Notre malade avait-il manifesté des contractions musculaires? Et comment! Les muscles du tronc d'abord et ceux du cou ensuite? Tout juste. Intelligence intacte mais élocution empêchée? «Je ne me sens pas très bien», c'est tout ce qu'il pouvait dire. Accès de fièvre? Chauffé à blanc. Sueurs froides? Chez Angelin, oui, après la fièvre, justement. Constipation? C'est même par là que ça avait commencé. Vomissements? Vomissements. C'est rare, mais ça arrive, ils vomissent parfois. Rétention d'urine? Je veux! Pourtant, il avait beaucoup bu, non? Si. Étouffements? Bien sûr et début de cyanose, aussi. Subdelirium? Non.

— Ça va venir. La première contraction date de quand?

— Là, maintenant, avant que tu arrives.

— Non!

Ce «non» est sorti de moi. Il m'a échappé. Ou plutôt, je ne l'ai pas retenu. Non, la première contraction datait de plus haut. Sa première crise, le malade l'avait faite sous mes yeux, dans le couloir des urgences. La gifle de son corps sur le carrelage, la voilà sa première crise.

— Il est tombé raide?

— Complètement noué.

— En chien de fusil?

— On n'a pas pu le déplier.

— C'est ça, les points de suture?

— Oui.

Il a dit quelque chose, avant ?

– Qu'il ne se sentait pas très bien.

– Tu l'avais ausculté ?

– J'avais commencé, mais…

– Il était là depuis longtemps ?

– C'est-à-dire… J'avais beaucoup de monde.

– Tu as cru à une occlusion ?

– Ça y ressemblait tellement…

Je vous passe les silences, tout ce que Juraj ne disait pas mais qui résonnait dans la tête des autres : le temps perdu, l'erreur de diagnostic, rien de tout ça ne serait arrivé si j'avais amené le malade directement chez lui.

Juraj est venu à mon secours :

– La diversité des symptômes, c'est ce qu'il y a de plus chiant avec cette saloperie.

Merci, camarade.

– On va quand même lui faire une ponction lombaire, des fois que je me tromperais. Je crois me souvenir que tu es bon en ponction, Galvan.

Non seulement j'étais bon mais j'aimais ça. Généralement, les patients s'en font une montagne. C'est la piqûre fantasmatique par excellence. Une aiguille dans la colonne vertébrale… peu d'imaginations y résistent. Pourtant, il suffit d'un bon repère : entre la quatrième et la cinquième lombaire, hop ! La résistance légère du ligament… et l'aiguille s'enfonce dans le canal rachidien comme dans un rêve. On ne sent rien. La première fois, j'avais été émerveillé par la montée de ce rayon de soleil dans la seringue – le liquide céphalo-rachidien est jaune soleil, oui. La première fois, donc, je m'étais dit, assez bêtement : « C'est donc ça, la vie, on est plein de soleil ? » Et de tous les actes médicaux, c'était devenu mon préféré.

Bon, je vais vous la finir brève, sinon on va y passer la journée. Au moment de lui faire sa ponction, voilà que le patient est pris d'une nouvelle crise d'étouffement. Il vire du blanc au bleu, du bleu au plomb, du plomb au noir. Juraj m'arrête et Verhaeren décide une trachéo.

– ...?

– Une incision de la trachée pour ventiler les poumons.

– ...

– À cette nouvelle son cœur a voulu sortir de sa cage thoracique.

– ...?

– Comme je vous le dis. Il s'est remis à respirer normalement mais nous a fait une tachycardie effrayante ; on voyait son cœur se jeter contre les barreaux. On a appelé Aymard en catastrophe.

– ...

– La cardiologue. Nicole Aymard. Ça ne vous dit rien ?

**Moi
Nicole Aymard**

Cardiologue

8

Nicole Aymard a rapatrié le malade en cardiologie et je suis redescendu aux urgences. Mon couloir s'était à nouveau rempli.

– Ah ! tout d'même !

– C'est pas dommage !

– Il était où, hein ? Où qu'il était ?

– Deux heures ! Deux heures ! Ça s'appelle les urgences, ça ?

J'ai traversé le rideau des protestations et, plus que jamais, j'ai été frappé de ce qu'à cette heure avancée de la nuit les odeurs organiques prennent définitivement le pas sur les effluves de détergent. Urine, alcool, tabac, sueur, pansements, linge sale, parfums de peur et d'impatience, ça sentait la douleur humaine... fumet de solitude, relents d'abandon, cette haleine du malheur... comme une immense peau retournée. Ce que la nuit fait aux gens, monsieur, dès qu'ils baissent leur garde !

Éliane m'a pansé le poignet.

Plus tard, j'ai appelé Nicole Aymard. Le malade n'était plus chez elle.

– Son cœur s'est calmé, mais il nous a développé une de ces chaînes de ganglions, j'aurais voulu que tu voies ça, Galvan ! Du cou jusqu'à l'aine, une vraie corde à nœuds ! À mon avis, il est foutu…

Bref, tandis que chacun y allait de son diagnostic, le patient continuait de multiplier les symptômes dans cette nuit qui n'en finissait pas. On aurait dit qu'il hésitait entre toutes les morts possibles. Après les ganglions, ce furent ses articulations qui enflèrent soudainement. Et quand il eut épuisé la science du rhumatologue (j'ai oublié le nom du rhumatologue), il s'est offert un festival d'éruptions cutanées qui a laissé la dermato sans voix – une femme elle aussi, la dermato, Geneviève… Geneviève comment, déjà ? Une fille formidable, pourtant…

Sur quoi, il a sombré dans le coma.

Et là, bien sûr, plus rien ne s'est passé.

On a conclu à l'hémorragie cérébrale, comme on tire un trait sous une addition.

On l'a installé dans une chambre où j'ai tenu à passer le reste de la nuit avec lui. Tout le monde s'y retrouverait le lendemain, à neuf heures précises. Assemblée générale, c'était la moindre des choses. Angelin viendrait avec le vieux Madrecourt, qui avait été notre maître à tous en sémiologie médicale. Madrecourt, bien sûr! Angelin avait raison, il fallait présenter ce cas à Madrecourt, qu'on y voie clair une fois pour toutes. Et quel meilleur cadeau pour notre vieux patron, à une semaine de sa retraite, que cette vivante encyclopédie de symptômes?

Quoique, de l'avis général, demain matin le patient serait mort.

Moi, je ne voulais pas qu'il meure. J'ai relevé l'infirmière de garde, allez dormir, je prends le relais. La porte s'est refermée, et nous sommes restés seuls, lui et moi. Il me semblait qu'à le veiller je le tiendrais en vie. Assis dans un fauteuil de skaï gris aux tubulures froides, les yeux posés sur ce visage clos, j'étais le regard de l'enfant qui croit empêcher la bougie de s'éteindre. Je ne pensais plus à rien d'autre qu'à ça : Reste vivant, toi, reste avec nous. J'avais rendu les armes. J'avais déchiré ma carte de visite. En une nuit, j'étais devenu médecin. Un fils de famille touché par la grâce, Paul aveuglé sur la route de Damas, saint Augustin sous son bosquet, Claudel derrière son pilier, et Pascal, aussi : «Renonciation totale et douce.» Je n'éprouvais plus qu'une gratitude calme et stupéfaite. Je prononçais enfin mon serment d'Hippocrate. Un homme voué aux malades, à jamais, quels qu'ils fussent et sans condition, voilà ce que mon patient avait fait de moi. Je me suis endormi comme on s'élève, au service de la douleur humaine.

Et quand je me suis réveillé, le lit était vide.

9

Je ne me suis pas inquiété, d'abord. Je ne me suis pas dit que le malade était mort. J'ai pensé qu'on l'avait emmené au scanner, ou qu'on lui faisait une artériographie, comme il en avait été question, cette nuit. J'ai souri en songeant au luxe de précautions qu'ils avaient dû prendre pour emporter le chariot sans me réveiller. Délicatesse entre collègues, esprit de corps... et roulettes bien graissées.

Sous la douche que je me suis octroyée, je me suis amusé à énumérer les métiers que je n'aurais pas aimé faire : commerçant, l'angoisse du stock, horreur ! Diplomate, langue de bois dans bouche fourrée, merci bien ! Pharmacien, professeur, magistrat...

L'eau coulait, bouillante...

Architecte, ingénieur, publicitaire, avocat, journaliste, expert-comptable... Je me suis abandonné un long moment au bonheur de n'être rien de tout cela. Médecin, voilà ce que j'étais.

Mon être, oui, médecin. Ce médecin-ci dans cette médecine-là, rien d'autre. Toubib parmi les toubibs. C'était tout neuf, ça datait de cette nuit, ce n'était pas un plan de carrière, mon arbre généalogique n'avait rien à y voir, et ça ne pourrait jamais figurer sur aucune carte de visite.

J'ai enfoui mes vêtements de garde dans mon sac en toile. J'ai enfilé une chemise propre comme une peau neuve, un pantalon de gros velours, une veste de vieille laine anglaise, à chevrons ; des fringues de convalescent. « Confortable comme une convalescence », oui, je me rappelle encore l'expression.

Sur quoi, je suis remonté dans la chambre de mon supplicié. Et ne l'y ai pas trouvé. Ce fut le commencement de mon inquiétude. J'ai téléphoné au scanner. On m'a demandé le nom du malade. Au fait, oui, tiens, comment s'appelait-il ? Je me suis avisé que personne ne s'était posé la question. Le nom était indispensable, m'expliqua-t-on, il y avait de l'attente pour le scanner. D'accord, mais justement, voilà, je ne le connaissais pas, son nom. Et moi, qui j'étais, moi ?

– Galvan.

– Qui ça ?

– Galvan. J'étais de garde aux urgences, la nuit dernière.

– C'était pas Verdier, la nuit dernière ?

– Non, c'était moi. Je l'ai remplacé.

– Galvan, alors ?

– Galvan, oui.

Si le dénommé Galvan ne connaissait pas le nom du patient, pouvait-il préciser quel service l'avait envoyé ? J'ai ouvert la bouche, mais, surprise, je ne pouvais pas répondre à cette question non plus.

– Attendez, un type dont vous ne savez pas comment il s'appelle, ni quel service l'envoie, et vous voudriez qu'on s'en souvienne, nous ?

J'ai décrit le patient tant bien que mal, j'ai dit qu'il venait sans doute de neurologie, un scanner du cerveau probablement.

– Pas de cerveau, ce matin.

– Et personne n'a été envoyé par la neuro, a fait une voix impatiente, en écho lointain à la première.

– Bon, désolé, excusez-moi.

J'ai appelé Nicole Aymard. Avait-elle récupéré le patient pour lui faire un doppler ou une échographie cardiaque ?

– Du tout.

Et Nicole Aymard m'a demandé si l'assemblée générale de neuf heures tenait toujours.

– Je crois.

J'ai ajouté que le patient n'était plus dans sa chambre et pas au scanner.

– C'est qu'il est mort, Galvan. Tu as vu dans quel état il était ? De toute façon, sa présence n'est pas indispensable. L'essentiel, c'est que nous soyons tous là pour faire notre rapport à Madrecourt. Tu l'as eu, toi, Madrecourt, en sémiologie?

– …

J'ai raccroché lentement. Mort… Évidemment, mort… Quelle nuit avais-je donc passée pour croire aux contes de fées? Prince charmant au chevet de princesse comateuse et résurrection matutinale? Allons, Galvan, allons. Et quel genre de médecin avais-je été pendant que je me racontais ces histoires?

Mon cœur battait au bout de mes doigts quand j'ai fait le numéro de la morgue… J'ai eu du mal à leur dire ce que je voulais. Mais cette fois, j'ai donné mon nom avant qu'on ne me le demande.

– Galvan.

– Qui ça?

– Gérard Galvan.

– Attendez une seconde.

J'ai entendu feuilleter un registre.

– Galvan… On n'a aucun mort à ce nom-là.

– Non, Galvan, c'est moi.

– Qui ça, moi?

– Moi, le médecin de garde. J'étais de permanence, cette nuit.

– Je croyais que c'était…

– C'était moi.

– Ah! Fallait le dire. Bon, le défunt, c'est comment, son nom?

Ainsi de suite, jusqu'à ce que, non, la morgue

avait hérité d'un cadavre de motard dans la nuit, qui venait de chirurgie, mais on ne leur avait rien livré d'autre.

– Et ce matin ?

– Non plus. C'est calme, ce matin.

Soulagement…

Immense !

Je me suis joyeusement traité de crétin. On avait dû changer mon protégé de chambre, tout simplement ! C'était la seule explication. Pourquoi tout de suite aller au pire ? Hein, Galvan ? Une autre chambre, va pas chercher plus loin.

J'ai ratissé l'étage ; rien. Le patient n'était dans aucun lit. J'ai mis toutes les infirmières à la question ; aucune ne l'avait vu. La relève du matin étant faite, aucune, même, n'en avait entendu parler. C'était à vous foutre le vertige. À croire que ce type n'avait jamais existé. Ou que cette nuit n'avait pas eu lieu.

Avec ça, l'heure tournait. Quand j'ai regagné la chambre où devait se tenir l'assemblée générale, tout le monde était là. Mes collègues au grand complet, plus Madrecourt et sa smala d'étudiants, collés au maître comme une bande de marcassins. Une trentaine de blouses blanches dans une quinzaine de mètres carrés. Qui se sont tournés vers moi comme un seul homme, quand Madrecourt – mon idole ! – a demandé où était le patient.

J'ai répondu que je n'en savais rien.

– Attends, Galvan, a susurré Nicole Aymard avec une charmante spontanéité, c'est bien toi qui l'as veillé, cette nuit, non?

Madrecourt se souvenait-il de moi? Je ne l'aurais pas juré. Il m'enveloppait d'un regard que j'étais loin de remplir. Il n'y avait pas si longtemps, pourtant, moi aussi je faisais partie des marcassins extatiques, le crayon en l'air et le calepin fébrile. Il m'a fallu expliquer que, oui, j'avais veillé notre patient, en effet, mais que je m'étais endormi et que j'avais trouvé un plumard vide à mon réveil. C'est que j'avais eu une nuit assez…

– Sur le pont, les nuits sont longues pour tout le monde, a décrété Angelin, sans qu'on pût dire s'il me reprochait de m'être endormi ou s'il estimait qu'il aurait pu s'endormir lui aussi.

Silence.

Que Madrecourt a rompu en s'adressant aux étudiants :

– Jeunes gens, la visite promet d'être instructive : vos aînés m'invitent à faire la leçon d'anatomie de Rembrandt, mais au-dessus d'un lit vide.

Cela dit sans l'ombre d'un sourire. Madrecourt, c'était quelque chose entre Alain Cuny, Charles de Gaulle et Samuel Beckett, vous voyez ? Crinière blanche, regard d'oiseau, droit comme l'éthique ; une icône dans un costume de pasteur. Pas un atome de Coluche. Il ne faisait *jamais* rire. Le propos mesuré, la voix montant des entrailles et les mots qui tombaient de très haut, sous le poids du sens, l'un après l'autre.

– Bien, résumons-nous, résuma-t-il. Un mystérieux individu vous est passé entre les mains cette nuit ; il manifestait, selon vous, les signes de pathologies successives aussi variées que l'occlusion intestinale, le choc palustre, les éruptions cutanées, un globe vésical, l'angine de poitrine, j'en passe et des meilleures... C'est bien à ça que vous me demandez de croire ?

Plus personne n'y croyait tout à fait.

– Et, accessoirement, que chacun d'entre vous a été épatant dans cette circonstance, n'est-ce pas, mademoiselle Aymard ?

Les joues de Nicole Aymard doivent cramer encore.

Mais le vieux Madrecourt en était déjà à sa conclusion :

– Alors, chers collègues, de deux choses l'une, ou votre histoire est vraie et vous êtes impardonnables de ne pas m'avoir réveillé cette nuit, ou c'est un canular, la petite sauterie organisée pour mon départ à la retraite, un hommage à mon enseignement, votre façon de me souhaiter une bonne mort, et je l'apprécie à sa juste valeur. Si donc vous avez un discours de circonstance et un cadeau à me faire, faites-les, qu'on en finisse.

Paralysie générale. La honte des anciens devant les jouvenceaux, la gêne des jouvenceaux vis-à-vis des anciens, la chambre blanche, l'attente de Madrecourt à côté du lit vide, une minute de silence qui s'éternise…

Jusqu'à ce qu'une voix s'élève :

– Ma foi, je pourrais tenir le rôle du cadeau, si vous le voulez bien.

Cela venait de la porte restée ouverte. D'instinct, les blouses blanches se sont écartées, pour faire une trouée au regard de Madrecourt.

Notre patient se tenait là, debout dans l'encadrement, souriant, costume croisé, impeccable, frais douché lui aussi, la peau lisse et la voix primesautière.

– Un cadeau assez présentable, je crois, malgré une nuit plutôt agitée, précisa-t-il en faisant les quelques pas qui le portèrent au milieu de nous.

Pour une résurrection, c'était une résurrection ! Rien à voir avec l'apprenti cadavre qu'on s'était coltiné toute la nuit. C'était bien notre patient pourtant, aucun doute là-dessus. Mais sous la forme d'un petit homme propret, sautillant dans les voilages de son after-shave. Juste un sparadrap sur le haut du front. Haussé sur ses talonnettes, il a levé vers Madrecourt un œil vif et a entrepris de faire notre éloge à tous. Non, Madrecourt ne devait pas nous «gronder» (*sic*), nous avions été «parfaits», chacun dans notre rôle, et notre efficacité attestait la qualité de l'enseignement que Madrecourt nous avait dispensé. Si, si.

– La précision du diagnostic alliée à la rapidité du geste thérapeutique, stupéfiant ! Proprement stupéfiant ! Le docteur Angelin, par exemple...

Et le voilà qui se met à nous passer tous en revue : Angelin, Placentier, Saliège, Verhaeren, Juraj, Aymard et les autres... Sans blague, un

Bonaparte au lendemain de la victoire, sur le point de nous tirer le lobe de l'oreille.

– Jusqu'au jeune Galvan qui a pris soin de graisser les chariots !

Et de tartiner sur le jeune Galvan, omniprésent, compatissant, dévoué jusqu'à l'épuisement, Galvan qu'il s'était bien gardé de réveiller ce matin en partant : « Ne m'en veuillez pas, Galvan, il fallait que je passe chez moi faire peau neuve. »

– Et dire qu'il se trouve des gens, en France, pour critiquer le milieu hospitalier ! Si quelqu'un, désormais, peut témoigner de l'excellence de vos services, mesdames et messieurs, c'est bien moi ! Et je ne m'en priverai pas !

La déferlante des louanges. Seulement, nous commencions à reprendre du poil de la bête. On avait quelques questions à lui poser, tout de même. Il a dû le sentir parce qu'il a anticipé :

– Vous devez vous demander ce que signifie cette comédie ? À quel genre de cinglé vous avez affaire ?

Il parlait d'une voix claire comme une avant-scène.

– Quelque chose me dit que vous allez remiser vos anciens diagnostics et chercher du côté de la psychiatrie…

Le fait est qu'on était assez tentés d'explorer ce terrain-là. Il a proposé de nous y aider.

– Bon, si vous le voulez bien, excluons tout de suite l'hypocondrie. Jamais un hypocondriaque n'aurait le courage de s'exposer de la sorte. C'est la peur qui domine, chez l'hypocondriaque !

Assentiment général.

– Bien. Voyons le reste… À quoi pourrions-nous attribuer une symptomatologie si riche, alliée à une pareille maîtrise du corps ? Une bonne vieille hystérie ? Une hystérie à l'ancienne, à la Charcot ? Somatisations sur commande, manifestations spectaculaires, pseudo-épilepsie… Il y a peut-être un peu de ça, oui…

Il y a réfléchi lui-même une seconde ou deux, puis :

– À moins que… un syndrome de Münchausen… non ?… Cette aptitude à glisser d'une maladie à l'autre au moment où le diagnostic va vous saisir… vous ne trouvez pas ? Il n'y a pas plus glissant qu'un Münchausen.

Quelques-uns ont fait oui de la tête. Les marcassins prenaient des notes comme s'il y allait de leur vie. Madrecourt laissait dire. Il se demandait peut-être si l'olibrius faisait partie du canular.

– Mais cette exposition de soi, tout de même… Les Münchausen ont beau flirter avec les médecins, jamais ils ne s'exposent à ce point !

En effet, semblait dire le silence général.

– Non, il y a là-dedans une érotisation du corps… une érotisation massive du corps malade… un peu comme si…

Là, il s'est adressé plus spécialement aux marcassins :

– Un peu comme si ma maman m'avait donné le bain jusqu'à mes quarante ans, pendant que mon papa s'envoyait en l'air avec sa sœur cadette... Vous voyez ?

Deux ou trois étudiants ont froncé des sourcils entendus. Au-dessus d'eux, Angelin et Saliège ont échangé un coup d'œil très clair : Ça suffisait comme ça ! Il s'est adressé à eux juste avant qu'ils ne craquent :

– Vous pourriez aussi opter pour un délire paranoïaque.

Là, il a marqué une pause. Puis, nous englobant tous dans le même regard :

– Mon corps persécuté par le corps médical, apportant à chaque changement de symptômes la preuve de vos incompétences...

Saliège et Juraj ont suspendu leur souffle.

Madrecourt ne bronchait toujours pas.

Lui a éclaté de rire :

– Mais non ! Hypothèse annulée par mon entrée en matière. Encore une fois, vous avez toute mon admiration, vraiment ! Et ma reconnaissance, au nom de tous les malades de France et de Navarre !

Soupirs de soulagement.

– Mais revenons à la question première : Pourquoi ? Pourquoi m'être prêté à cette revue de symptômes ? Je crois que vous avez droit à la véritable explication.

12

C'est là que ma vie a basculé, monsieur. Quand il a donné la véritable explication. Parce qu'il a fini par nous la filer, l'explication, la vraie. Et je n'étais plus tellement d'humeur à l'encaisser. Quelque chose, en moi, avait grimpé depuis qu'il s'était encadré dans la porte. Stupeur à son apparition, agacement à sa présentation, énervement croissant pendant la leçon de psy... Ajoutez-y son after-shave qui chlinguait la satisfaction de soi, j'étais mûr. Et je ne vous parle pas de la cravate. Ni de la pochette de soie mauve. Ni des pompes. Je me demandais pourquoi personne ne moufetait. Ce mec nous avait trimballés toute la nuit et les autres l'écoutaient comme le roi de l'amphi! Merde, alors! Tout le monde était suspendu à tout le monde : les étudiants de nouveau babas devant mes collègues qui avaient repris du galon, les collègues pétrifiés par Madrecourt qui jouait la statue du Commandeur, et tout ce beau monde scotché là par ce phraseur qui faisait le paon dans son costard après nous avoir fait chier toute la nuit. Quand je pense ! Quand je pense au sang d'encre que je me suis fait pour lui ! Quand je pense ! Quand je pense qu'à cause de ce clown j'ai failli larguer la médecine ! Quand je pense ! Quand je pense que mon cœur a cessé de battre dix fois dans la nuit ! Tout ça pour l'entendre maintenant nous expliquer que grâce à nous il a enfin exaucé son vœu le plus cher, un projet très ancien, un « rêve identitaire » (c'est l'expression à la con qu'il a employée, oui, un « rêve identitaire ») qu'il n'aurait jamais réalisé sans notre « précieux concours ».

– Un vœu légitime, d'ailleurs, messieurs les médecins, vous le comprendrez d'autant mieux que chacun de vous a fait le même. Moi aussi je voulais, comme vous, pouvoir brandir un jour une carte de visite qui fût digne de moi ! Seulement, pour ce faire, j'avais besoin de vos compétences, il fallait que je me soumette à vous comme à un jury de concours, et que j'obtienne votre bénédiction ! Vous me l'avez donnée, chers amis, cette nuit, chacun à votre tour, vous m'avez délivré mon diplôme, vous m'avez rendu digne de la carte de visite dont j'ai toujours rêvé !

Et le voilà qui se met à distribuer du bristol autour de lui.

– Ma carte, monsieur.

En commençant par Madrecourt : «Vous qui avez construit votre identité en décryptant tous les signes du corps ! »

Madrecourt laisse ses yeux se poser sur le carton, mais l'autre est déjà devant Angelin :

– Ma carte, professeur. Et vous méritez amplement la vôtre, vous qui avez instantanément repéré mon occlusion.

Une carte pour Nicole Aymard : «car mon cœur n'a plus de secret pour vous» ; une carte à Verhaeren : «qui connaissez mes poumons mieux que moi le fond de mes poches» ; une carte pour l'urologie, une carte pour la neurologie, une carte pour la dermatologie, une carte pour la rhumatologie...

Et une carte pour moi !

Sa carte de visite.

Vous voulez que je vous dise ?

Je n'ai même pas eu le temps d'y repérer son nom.

Mes yeux sont directement allés à l'essentiel, gravé là, en relief, sur sa carte de visite, l'objet de sa fierté, son «rêve identitaire», son grand projet enfin réalisé, grâce à nous, sa raison d'être : Monsieur je ne sais quoi... ANCIEN MALADE DES HÔPITAUX DE PARIS.

Là, sous mes yeux *en toutes lettres* et sous la pulpe de mon doigt :

Mon poing est parti tout seul.

– …

Oui, monsieur, je lui ai foutu mon poing sur la gueule.

Ça a été instantané.

Et très lent.

J'ai eu le temps de voir mon poing partir. J'ai su qu'en lançant mon poing dans ce sourire je vengeais mes confrères et j'ai su qu'ils ne m'en remercieraient pas. Mon poing partait vers ce visage et j'ai su que dès son arrivée je serais convoqué par le doyen de la Fac, chassé par le Conseil de l'ordre, adieu la médecine, pour de bon cette fois, je le savais. J'ai laissé aller mon poing pourtant, j'y ai même mis tout le poids de mon corps, rotation du buste, appui sur la jambe gauche, extension maximale, un boulet de canon… Mon père me bannirait… Françoise me jetterait dehors… Du fond de leur tombe mes ancêtres médecins me maudiraient jusqu'à la septième génération, ça ne faisait pas un pli…

74

Mais j'avais lancé ce poing de tout mon cœur et quand il est arrivé, en déquillant une double rangée de dents impeccables, j'étais en train de me demander comment j'allais gagner ma vie, désormais. Infirmier ? Impossible, j'avais épuisé en une nuit tout ce qu'une existence humaine peut fournir de compassion. La pulvérisation du maxillaire supérieur n'a pas arrêté mon poing, il a continué son voyage, luxation de la mâchoire, langue sectionnée, fracture de la cloison nasale, enfoncement de l'orbite (il faudrait l'opérer si on ne voulait pas que son œil tombe dans sa pochette), pour tout vous avouer, je visais la commotion cérébrale. Vétérinaire ? J'allais faire le vétérinaire ? Certainement pas, à Paris la plupart des animaux sont domestiqués jusqu'au mimétisme, aussi tordus que leurs maîtres…

13

– Et voilà, monsieur, comment j'ai fini gara-
giste. La vocation de soigner, toujours, mais le
matériel, rien d'autre, c'est le dernier refuge de
l'innocence. Une bagnole c'est sans ruse, un tas
de ferraille et de filasse plus ou moins électri-
fié ; pas le moindre «rêve identitaire». Et l'élec-
tronique, me direz-vous ? De la chirurgie. On
tranche et on remplace. L'élément foutu finit à
la poubelle, on le change et la voiture est comme
neuve. Je me trompe ?

– …

– Tenez, j'ai préparé votre facture. On a dit
une vidange et les pneus, hein ? Le graissage est
pour moi.

– …

– Il faudra changer les plaquettes, un de ces
jours.

– …

– En tout cas, merci de m'avoir écouté.

– …

– Oui… vingt ans… jour pour jour.

– …

– Une fameuse droite, quand même. Regardez cette bosse sur mon poing, c'est le souvenir que j'en garde, un rhumatisme à l'articulation métacarpo-phalangienne du majeur ; je me suis cassé la main, sur ce coup-là. Quelqu'un a crié : «Galvan, non !» Mais si. Un direct du droit qui a propulsé notre ancien patient dans son ancien lit. Quand ils m'ont enfin regardé, j'ai dit : «Il lui manquait la traumatologie.»

DU MÊME AUTEUR

Aux Éditions Gallimard

AU BONHEUR DES OGRES (« Folio », n° *1972*).

LA FÉE CARABINE (« Folio », n° *2043*).

LA PETITE MARCHANDE DE PROSE (« Folio », n° *2342*). Prix du Livre Inter 1990.

COMME UN ROMAN (« Folio », n° *2724*).

MONSIEUR MALAUSSÈNE (« Folio », n° *3000*).

MONSIEUR MALAUSSÈNE AU THÉÂTRE (« Folio », n° *3121*).

MESSIEURS LES ENFANTS (« Folio », n° *3277*).

DES CHRÉTIENS ET DES MAURES. Première édition en France en 1999 (« Folio », n° *3134*).

LE SENS DE LA HOUPPELANDE. *Illustrations de Tardi* (« Futuropolis »/Gallimard).

LA DÉBAUCHE. *Bande dessinée illustrée par Tardi* (« Futuropolis »/ Gallimard, puis « Folio BD » n° *5502*).

AUX FRUITS DE LA PASSION (« Folio », n° *3434*).

LE DICTATEUR ET LE HAMAC (« Folio », n° *4173*).

MERCI.

MERCI *suivi de* MES ITALIENNES, chronique d'une aventure théâtrale *et de* MERCI , adaptation théâtrale (« Folio », n° *4363*).

MERCI. *Mise en scène et réalisation de Jean-Michel Ribes. Musique* « Jeux pour deux », 1975, *de François Vercken* (« DVD » conception graphique d'Étienne Théry).

CHAGRIN D'ÉCOLE (« Folio », n° *4892*). Prix Renaudot 2007.

JOURNAL D'UN CORPS (« Folio » n° *5733*).

LE 6ᵉ CONTINENT *suivi d'*ANCIEN MALADE DES HÔPITAUX DE PARIS.

ANCIEN MALADE DES HÔPITAUX DE PARIS, « Folio » n° *5873*, « Écoutez lire ».

LE CAS MALAUSSÈNE, I : ILS M'ONT MENTI.

Aux Éditions Gallimard Jeunesse

Dans la collection « Folio Junior »

KAMO L'AGENCE BABEL, *n° 800. Illustrations de Jean-Philippe Chabot.*

L'ÉVASION DE KAMO, *n° 801. Illustrations de Jean-Philippe Chabot.*

KAMO ET MOI, *n° 802. Illustrations de Jean-Philippe Chabot.*

KAMO L'IDÉE DU SIÈCLE, *n° 803. Illustrations de Jean-Philippe Chabot. Hors série Littérature*

KAMO : Kamo, l'idée du siècle – Kamo et moi – Kamo, l'agence de Babel – L'évasion de Kamo. *Illustrations de Jean-Philippe Chabot.*

Dans la collection « Albums Jeunesse »

LES DIX DROITS DU LECTEUR, *ingénierie papier et illustrations de Gérard Lo Monaco.*

Dans la collection « Écoutez Lire »

KAMO L'IDÉE DU SIÈCLE. Lu par Daniel Pennac. *Illustrations de Jean-Philippe Chabot.*

KAMO L'AGENCE BABEL. Lu par Daniel Pennac. *Illustrations de Jean-Philippe Chabot.*

MERCI . Lu par Claude Piéplu. *Illustrations de Quentin Blake.*

L'OEIL DU LOUP. Lu par Daniel Pennac. *Illustrations de Catherine Reisser.*

CHAGRIN D'ÉCOLE. Lu par Daniel Pennac.

JOURNAL D'UN CORPS. Lu par Daniel Pennac.

ANCIEN MALADE DES HÔPITAUX DE PARIS. Lu par Olivier Saladin.

Dans la collection « Gaffobobo »

LE CROCODILE À ROULETTES. *Illustrations de Ciccolini.*

LE SERPENT ÉLECTRIQUE. *Illustrations de Ciccolini.*

BON BAIN LES BAMBINS. *Illustrations de Ciccolini.*

Dans la collection « À voix haute » (CD audio)

BARTLEBY LE SCRIBE de Herman Melville dans la traduction de Pierre Leyris.

Aux Éditions Hoëbeke

LES GRANDES VACANCES, en collaboration avec Robert Doisneau.

LA VIE DE FAMILLE, en collaboration avec Robert Doisneau.

NEMO.

ÉCRIRE.

Aux Éditions Casterman

LE ROMAN D'ERNEST ET CÉLESTINE (« Casterman poche » n° 58).

Aux Éditions Nathan et Pocket Jeunesse

CABOT-CABOCHE.

L'OEIL DU LOUP (repris dans « Écoutez Lire »/Gallimard Jeunesse).

Aux Éditions Centurion Jeunesse

LE GRAND REX.

Aux Éditions Grasset

PÈRE NOËL, *biographie romancée*, en collaboration avec Tudor Eliad.

LES ENFANTS DE YALTA, *roman*, en collaboration avec Tudor Eliad.

Chez d'autres éditeurs

LE TOUR DU CIEL, *Calmann-Lévy* et *Réunion des Musées nationaux.*

QU'EST-CE QUE TU ATTENDS, MARIE ?, *Calmann-Lévy* et *Réunion des Musées nationaux.*

LE SERVICE MILITAIRE AU SERVICE DE QUI, *Le Seuil.*

VERCORS D'EN HAUT : LA RÉSERVE NATURELLE DES HAUTSPLATEAUX, *Milan.*

COLLECTION FOLIO

Dernières parutions

6091. Voltaire — *Le taureau blanc*
6092. Charles Baudelaire — *Fusées – Mon cœur mis à nu*
6093. Régis Debray –
Didier Lescri — *La laïcité au quotidien.*
Guide pratique
6094. Salim Bachi — *Le consul (à paraître)*
6095. Julian Barnes — *Par la fenêtre*
6096. Sophie Chauveau — *Manet, le secret*
6097. Frédéric Ciriez — *Mélo*
6098. Philippe Djian — *Chéri-Chéri*
6099. Marc Dugain — *Quinquennat*
6100. Cédric Gras — *L'hiver aux trousses.*
Voyage en Russie
d'Extrême-Orient
6101. Célia Houdart — *Gil*
6102. Paulo Lins — *Depuis que la samba est samba*
6103. Francesca Melandri — *Plus haut que la mer*
6104. Claire Messud — *La Femme d'En Haut*
6105. Sylvain Tesson — *Berezina*
6106. Walter Scott — *Ivanhoé*
6107. Épictète — *De l'attitude à prendre*
envers les tyrans
6108. Jean de La Bruyère — *De l'homme*
6109. Lie-tseu — *Sur le destin*
6110. Sénèque — *De la constance du sage*
6111. Mary Wollstonecraft — *Défense des droits des femmes*
6112. Chimamanda Ngozi
Adichie — *Americanah*
6113. Chimamanda Ngozi
Adichie — *L'hibiscus pourpre*
6114. Alessandro Baricco — *Trois fois dès l'aube*
6115. Jérôme Garcin — *Le voyant*

Composition : Nord Compo à Villeneuve-d'Ascq.
Impression : Novoprint
à Barcelone, le 15 février 2013.
Dépôt légal : février 2013.

Imprimé en Espagne.

Composition Dominique Guillaumin
Impression Novoprint
à Barcelone, le 11 janvier 2018
Dépôt légal : janvier 2018
Premier dépôt légal dans la collection : janvier 2015

ISBN 978-2-07-046379-4./Imprimé en Espagne.